在纪念周恩来同志诞辰120周年座谈会上的讲话

（2018年3月1日）

习 近 平

人 民 出 版 社

在纪念周恩来同志诞辰120周年座谈会上的讲话

（2018年3月1日）

习　近　平

同志们，朋友们：

今天，我们怀着十分崇敬的心情，在这里隆重集会，纪念敬爱的周恩来同志诞辰120周年，深切缅怀他为党、人民、国家和人民军队建立的卓著功勋，追思和学习他作为中国共产党人杰出楷模的崇高精神。

周恩来同志是伟大的马克思主义者，伟大的无产阶级革命家、政治家、军事家、外交家，党和国家主要领导人之一，中国人民解放军主要创建人之一，中华人民共和国的开国元勋，是以毛泽东同志为核心的党的第一代中央领导集体的重要成员。

周恩来，这是一个光荣的名字、不朽的名字。每当我们提起这个名字就感到很温暖、很自豪。周恩来同志在为中国人民谋幸福、为中华民族谋复兴、为人类进步事业而奋斗的光辉一生中建立的卓著功勋、展现的崇高风范，深深铭刻在中国各族人民心中，也深深铭刻在全世界追求和平与正义的人们心中。

周恩来同志出生于 1898 年，在他青少年时期，由于西方列强入侵和封建统治腐败，中国正处于内忧外患之中，社会危机空前深重，人民命运十分悲惨。面对国家危难和人民困苦，周恩来同志决心“为了中华之崛起”而读书，誓言“险夷不变应尝胆，道义争担敢息肩”，立下“面壁十年图破壁”的远大志向。周恩来同志和他那一代杰出中国共产党人一样，深入思索，挺起脊梁，苦苦探求救国救民的真理和道路。他投身五四爱国运动，开始接触马克思列宁主义，随后远赴欧洲勤工俭学，通过反复比较，确立了共产主义信仰。1921年，他在巴黎参与创建旅欧共产党早期组织，成为中国共产党最早的党员之一。

在新民主主义革命时期，周恩来同志为我们党探索中国革命正确道路、创建人民军队、创建革命统一战线、创建人民当家作主的新中国建立了不朽功勋。1924年，他回国后即投身大革命洪流，担任黄埔军校政治部主任，是我们党最早认识武装斗争重要性和最早从事军事工作的领导人之一。大革命失败后，周恩来同志作为党中央主要领导人之一，领导发动南昌起义，打响了武装反抗国民党反动派的第一枪，党领导的人民军队从此诞生。在极其严酷的白色恐怖下，周恩来同志积极开展党在国民党统治区的秘密工作，指导和支持各地工农武装割据斗争，为推动“农村包围城市，武装夺取政权”的中国革命正确道路的形成作出了突出贡献。周恩来同志到江西中央革命根据地后，同朱德同志等一起指挥了第四次反“围剿”斗争并取得胜利。在遵义会议上，他坚定支持毛泽东同志的正确主张，为确立毛泽东同志在红军和党中央的领导地位，为在危难中挽救红军、挽救党，为中国革命实现历史性转折，发挥了十分重要的作用。西安事变发生后，周恩来同志根据党中央的方针，亲赴西安，多方斡旋，推动了西安事变和平解决，促成第二次国共合作、团结御侮的新局面。全民族抗日战争时期，周恩来同志代表我们党长期在国民党统治区坚持工作，广泛团结和争取各界爱国人士，同国民党顽固派进行有勇有谋的斗争。抗日战争胜利后，周恩来同志陪同毛泽东同志赴重庆同国民党进行谈判，随后率领我们党代表团同国民党当局进行了长达一年多的谈判斗争。解放战争时期，周恩来同志协助毛泽东同志部署指挥一系列改变中国命运的战略大决战，并推动国统区形成第二条战线。周恩来同志代表我们党同各民主党派和爱国民主人士共商建国大计，筹备召开中国人民政治协商会议，主持起草《共同纲领》，为新中国的筹建作出卓越贡献。

中华人民共和国成立后，周恩来同志为积极探索符合我国国情的社会主义建设道路、推进社会主义革命和建设事业倾注了大量心血，作出奠基性贡献。周恩来同志担任政府总理长达26年，既是国家建设总体蓝图的重要设计者，又是将它付诸实施的卓越组织者和管理者。周恩来同志提出："国家面貌的改变要从经济面貌的改变做起。这样，我们的国家才能永远站立起来。""经济建设工作在整个国家生活中已经居于首要的地位。"周恩来同志强调，要正确处理各种关系，分清轻重缓急，做到统筹全局、综合平衡、协调发展，社会主义不仅要有经济建设，还要有政治建设和精神建设，必须全面发展。周恩来同志提出科学是关系经济、国防和文化发展的决定性因素，"我们必须急起直追，力求尽可能迅速地扩大和提高我国的科学文化力量，而在不太长的时间里赶上世界先进水平"。他高度重视国防现代化建设，强调"我们要搞尖端国防。尖端和国防是密切联系在一起的"，亲自组织领导"两弹一星"大规模科技攻坚取得重大突破，极大提升了我国综合国力和国际地位。周恩来同志高度重视对外经济交往和学习外国先进技术，强调“敢于向一切国家的长处学习，就是最有自信心和自尊心的表现，这样的民族也一定是能够自强的民族”。

周恩来同志作为第一届全国政协副主席，第二、三、四届全国政协主席，高度重视发挥统一战线在社会主义革命和建设中的作用，为坚持和完善中国共产党领导的多党合作和政治协商制度作出了重要贡献。周恩来同志念念不忘祖国统一大业，为解决香港、澳门和台湾问题做了大量基础性、开拓性工作。周恩来同志是新中国外交事业的主要奠基者之一，卓有成效领导了党和国家外事工作。他首倡的和平共处五项原则成为我国外交政策的基石。他推动我国同各国特别是广大发展中国家发展友好合作关系，使我们的朋友遍天下。周恩来同志博大精深的外交思想、丰富多彩的外交实践、独具一格的外交艺术和外交风格，赢得了世界各国人民和国际友好人士普遍尊敬，为党和国家赢得了很高的国际声誉。

在“文化大革命”极端复杂的特殊环境中，周恩来同志作出了常人难以想象的努力，忍辱负重，苦撑危局，维护党和国家正常工作运转，尽一切可能减少损失。周恩来同志保护了一大批党的领导骨干、民主人士和知识分子；协助毛泽东同志粉碎了林彪反革命集团妄图夺取最高权力的阴谋，同江青反革命集团进行了坚决斗争。“九一三”事件后，周恩来同志主持中央日常工作，批判和纠正极左思潮的错误，使各方面工作有了转机。他全力支持邓小平同志领导对各方面工作进行整顿，这不仅深深影响了当时中国的政局，而且为后来中国的改革和发展准备了条件；他在四届全国人大一次会议上重申实现四个现代化的宏伟目标，极大鼓舞了全党全国各族人民。

周恩来同志从 1927 年起就是党中央的核心领导成员，中华人民共和国成立后长期担任党和国家重要领导职务，参与领导了革命和建设时期党的各项重大工作，为党和人民事业取得的每一个重大胜利付出了巨大心血。周恩来同志注重把马克思主义基本原理同我国具体实际相结合，善于总结党领导革命和建设正反两方面经验，善于发现和总结人民群众创造的新鲜经验，善于从中华优秀传统文化和世界文明中汲取智慧，善于进行实事求是的理论思考和深刻阐释党的路线方针政策，在政治、经济、文化、社会、军事、外交、统一战线和党的建设等领域都作出了理论建树，为毛泽东思想的形成和发展作出了重要贡献，也为改革开放新时期我们党形成中国特色社会主义理论体系提供了重要思想启迪。

同志们、朋友们！

周恩来同志半个多世纪奋斗的人生历程是中国共产党不忘初心、牢记使命历史的一个生动缩影，是新中国孕育、诞生、成长和取得崇高国际威望历史的一个生动缩影，是中国人民在自己选择的革命和建设道路上艰辛探索、不断开拓、凯歌行进历史的一个生动缩影。周恩来同志是近代以来中华民族的一颗璀璨巨星，是中国共产党人的一面不朽旗帜。周恩来同志的崇高精神、高尚品德、伟大风范,感召和哺育着一代又一代中国共产党人。周恩来同志身上展现出来的中国共产党人的崇高精神,是历史的,也是时代的,将激励我们在新时代坚持和发展中国特色社会主义征程上奋勇前进。

——周恩来同志是不忘初心、坚守信仰的杰出楷模。周恩来同志在确立共产主义信仰时就说过:“我认的主义一定是不变了,并且很坚决地要为他宣传奔走。”他还说过:“在任何艰难困苦的情况下,都要以誓死不变的精神为共产主义奋斗到底。”周恩来同志一生都遵奉自己的誓言。不论革命力量多么弱小,白色恐怖多么残酷,对敌斗争多么激烈,政治局势多么复杂,党和国家事业面临的挑战多么严峻,担负的责任多么艰巨,个人的处境多么困难,他都始终保持坚定的理想信念和旺盛的革命精神。正如他在自我解剖时说的那样:“我做工作,从来没有灰心过。”周恩来同志对党和人民事业发展、对社会主义中国的光明前途、对复兴中华民族的伟业始终充满必胜信心。在他心中,中国共产党人的初心、共产主义的信仰坚如磐石。

革命理想高于天。理想信念是中国共产党人的政治灵魂。中国共产党能够历经挫折而不断奋起,历尽苦难而淬火成钢,归根到底在于千千万万中国共产党人心中的远大理想和革命信念始终坚定执着,始终闪耀着火热的光芒。我们要向周恩来同志学习,不要忘记我们是共产党人,不要忘记我们是革命者,任何时候都不要丧失理想信念。理想信念决定着我们的方向和立场,也决定着我们的言论和行动。我们要用马克思列宁主义、毛泽东思想、邓小平理论、“三个代表”重要思想、科学发展观、新时代中国特色社会主义思想武装头脑,牢固树立道路自信、理论自信、制度自信、文化自信,做到知行合一、言行一致,用自己的实际行动坚持和发展中国特色社会主义,为实现共产主义远大理想而努力奋斗。

——周恩来同志是对党忠诚、维护大局的杰

出楷模。周恩来同志为党和人民作出了巨大贡献，但他从不计较个人地位和得失，任何时候都能够正确处理个人和组织的关系，始终对党绝对忠诚，把维护和巩固党内团结、维护和巩固党的政治大局作为自己的行为准则。周恩来同志始终坚持党对一切工作的绝对领导。为警惕和“反对把自己领导的地区和部门当做独立王国，反对把个人放在组织之上”，周恩来同志在战争年代担任红军主要领导时强调，“党的领导作用要绝对的提高。红军中只能有党的领导，党要运用集中指导的原则来建立权威”。在社会主义建设时期负责政府工作时，周恩来同志提出必须加强“各部门的党组工作”，必须加强“向党中央的请示报告制度”。周恩来同志总是自觉维护党中央权威和集中统一领导，自觉维护毛泽东同志的领袖地位，坚决反对和抵制不利于党的团结和损害党中央权威的言论和行动。周恩来同志反对任何派别思想、小团体习气、地方主义、山头主义、本位主义，从不搞小圈子、小集团，要求党员领导干部在任何条件下都首先要过好政治关。

看一名党员干部的素质和能力，首先要看政治上是否站得稳、靠得住，是否自觉维护党中央权威和集中统一领导。我们要向周恩来同志学习，始终严守党的政治纪律和政治规矩，自觉维护党的团结统一，自觉在思想上政治上行动上同党中央保持高度一致，坚定执行党的政治路线，把对党忠诚、为党分忧、为党尽职、为民造福作为根本政治担当，永葆共产党人政治本色。

——周恩来同志是热爱人民、勤政为民的杰出楷模。周恩来同志说过一句很形象的话："下山不忘山，进城不忘乡"，"如果忘了，就是忘本。"周恩来同志说的这个本就是人民群众。他说："我们是从人民中来的，我们过去的胜利都是在人民的支援下取得的，不能忘本。""脱离我们的基本阶级群众，就会丧失党的基础。"周恩来同志把自己看成是人民的"总服务员"，坚持人民利益高于一切，心系人民，对人民群众保持高度热爱，急群众之所急，忧群众之所忧。只要是关系群众安危冷暖之事，他总是关怀备至、体贴入微，做到了同人民群众同甘苦、共命运、共忧乐、共奋进。周恩来同志高度重视调查研究，经常深入群众、深入一线调查研究，他说："调查研究要实事求是，不能乱搞。""要了解真实情况，就要与老百姓平等相待。"周恩来同志用自己的实际行动，为全党树立了全心全意为人民服务的光辉榜样。"人民总理爱人民，人民总理人民爱"，人民群众用朴素的语言表达了对周恩来同志最真挚的感情。

人民是历史的创造者，是决定党和国家前途命运的根本力量。我们党来自人民、植根人民、服务人民，一旦脱离群众，就会失去生命力。我们要向周恩来同志学习，坚持立党为公、执政为民，自觉践行全心全意为人民服务的根本宗旨，把党的群众路线贯彻到治国理政全部活动之中，把人民对美好生活的向往作为奋斗目标，依靠人民创造历史伟业。

——周恩来同志是自我革命、永远奋斗的杰出楷模。周恩来同志长期担任党和国家的重要领导职务，但始终虚怀若谷、谦虚谨慎、不骄不躁，他为自己立下的座右铭是“活到老，学到老，改造到老”。周恩来同志把思想改造看成像空气一样，非有不可。他常说：“每个党员从加入共产党起，就应该有这么一个认识：准备改造思想，一直改造到老。”“一个共产党员如果以为自己改造完成了，不需要再改造了，他就不是好的共产党员。”“领导威信不是从掩饰错误中而是从改正错误中提高起来的；不是从自吹自擂中而是从埋头苦干中培养起来的。”面对不同的时代任务和时代要求，周恩来同志总是以自我革命精神迎接新的挑战，参与领导和推动中国共产党进行的伟大社会革命，使自己始终同党和人民事业一道前进。周恩来同志的一生，以自己的实际行动实践了这些自我革命、永远奋斗的誓言。

勇于自我革命，从严管党治党，是我们党最鲜明的品格。我们党要始终成为马克思主义执政党，自身必须始终过硬。我们要向周恩来同志学习，更加自觉地坚定党性原则，发扬彻底的自我革命精神，不断增强党自我净化、自我完善、自我革新、自我提高的能力，不断增强学习本领、政治领导本领、改革创新本领、科学发展本领、依法执政本领、群众工作本领、狠抓落实本领、驾驭风险本领，不断增强党的政治领导力、思想引领力、群众组织力、社会号召力，确保我们党永葆旺盛生命力和强大战斗力。

——周恩来同志是勇于担当、鞠躬尽瘁的杰出楷模。周恩来同志一生勇肩重任，勇挑重担，呕心沥血，任劳任怨。他说："为着我们子子孙孙的幸福，我们不能不暂时把许多困难担当起来。""畏难苟安，不是共产党人的品质。"新中国成立后，他平时每天工作都在12个小时以上，有时在16个小时以上。"文化大革命"时期更是辛苦，夜以继日，有时一天只能休息两三个小时，即便是得了重病之后也是如此。周恩来同志说："既然把我推上历史舞台，我就得完成历史任务。"他数十年如一日，即使在生命最后时期，还抱病操劳国事，心忧百姓。他说，死我并不怕。古人说，人活七十古来稀，我已是七十七岁多的人了，也算得上是高寿了。可是这二十几年的时间，总应该把国家建设得好点，人民的生活多改善一些，去马克思那里报到，才感到安心。现在这种状况去报到，总感到内疚、羞愧。周恩来同志真正做到了鞠躬尽瘁、死而后已。

在中国特色社会主义新时代，我们肩负着新的历史使命，面临着新的风险、新的挑战、新的困难，全党必须准备付出更为艰巨、更为艰苦的努力。我们要向周恩来同志学习，敢于担当责任，勇于直面矛盾，善于解决问题，以时不我待、只争朝夕的精神，以钉钉子精神落实好党的十九大作出的各项战略部署，努力创造经得起实践、人民、历史检验的实绩，无愧于时代，无愧于人民，无愧于历史。

——周恩来同志是严于律己、清正廉洁的杰出楷模。"海纳百川，有容乃大；壁立千仞，无欲则刚。"周恩来同志就是这样的人。周恩来同志毕生严于律己、艰苦朴素，只求奉献、不思回报。

他告诫领导干部要过好思想关、政治关、社会关、亲属关、生活关,保持共产党人的政治操守和优良作风。周恩来同志身居高位,但从不搞特殊化,凡要求党员和群众做到的他自己首先做到。1935年6月底,红军到达两河口地区,党组织进行改选,警卫员魏国禄当选周恩来同志所在党小组的组长。有一次,周恩来同志问魏国禄为什么很长时间不开党小组会议,魏国禄回答说,党小组会议开过了,看到首长忙,就没有通知。周恩来同志用平常少见的严肃态度批评说,那怎么能行?我是党员,应当过组织生活。在我们党内,每个人都是普通党员,谁都要过组织生活,这是个党性问题。1958年1月,周恩来同志到杭州视察,随身带着自己的枕巾、棉褥子、床单、被子。被子是解放战争时期在梅园新村用的那一床,洗得已经泛白。枕巾用了又用,中间已经破损,周恩来同志就把破了的地方剪掉、两端重新缝上继续用。浙江省警卫处的同志实在看不下去,就趁他去开会的机会从后勤部门领了一条新枕巾给换上了。周恩来同志开会回来后发现换了新枕巾，就对浙江省警卫处的同志语重心长地说，我们的国家还不富裕，要保持艰苦奋斗的传统，即使以后富裕了，也不能丢了这个光荣传统。周恩来同志坦率地说，六七亿人口的中国就一个总理，再穷也不缺那几身新衣服，但问题不是缺不缺衣服，我这样做不光是一个人的事，而且是提倡节俭、不要追求享受，提倡大家保持艰苦奋斗的共产党人本色。上世纪50年代，为了响应党的号召，周恩来同志带头把在淮安老家几代亲人的坟墓托人平掉，把整理出来的土地交公使用。周恩来同志严格要求自己的亲属，给他们订立了“十条家规”，从没有利用自己的权力为自己或亲朋好友谋过半点私利。周恩来同志谆谆教导晚辈，要否定封建的亲属关系，要有自信力和自信心，要不靠关系自奋起，做人生之路的开拓者。他特别叮嘱晚辈，在任何场合都不要说出同他的关系，都不许扛总理亲属的牌子，不要炫耀自己，以谋私利。周恩来同志身后没有留下任何个人财产，连自己的骨灰也不让保留，撒进祖国的江海大地。“大贤秉高鉴，公烛无私光。”周恩来同志一生心底无私、天下为公的高尚人格，是中华民族传统美德和中国共产党人优秀品德的集中写照，永远为后世景仰。

党的作风是党的形象。我们要向周恩来同志学习，牢记手中的权力是党和人民赋予的，是用来为人民服务的，一身正气，两袖清风，自觉接受监督，敬畏人民、敬畏组织、敬畏法纪，拒腐蚀、永不沾，决不搞特权，决不以权谋私，做一个堂堂正正的共产党人。

同志们、朋友们！

周恩来同志青年时代曾经写下这样的寄语：“愿相会于中华腾飞世界时。”周恩来同志还说过：“在现在这个世界上，我们若不强大起来，不建成社会主义的现代化国家，就要受帝国主义的欺侮。”今天，我们可以告慰周恩来同志等老一辈革命家的是：近代以来久经磨难的中华民族迎来了从站起来、富起来到强起来的伟大飞跃。周恩来同志生前致力于解决的中华民族积贫积弱的现象已经一去不复返了！周恩来同志生前操碎了心的广大人民群众缺吃少穿的现象已经一去不复返了！现在，我们比历史上任何时期都更接近、更有信心和能力实现中华民族伟大复兴的目标。周恩来同志生前念兹在兹的中国现代化的宏伟目标，一定能够在不远的将来完全实现。

新时代中国特色社会主义的航线已经明确，中华民族伟大复兴的巨轮正在乘风破浪前行。在前进道路上，我们要更加紧密地团结在党中央周围，高举中国特色社会主义伟大旗帜，奋发进取，埋头苦干，勇于开拓，勇于创新，为实现党的十九大确定的目标任务，为决胜全面建成小康社会、夺取新时代中国特色社会主义伟大胜利、实现中华民族伟大复兴的中国梦而继续奋斗！

图书在版编目(CIP)数据

在纪念周恩来同志诞辰 120 周年座谈会上的讲话/习近平 著. —
北京:人民出版社,2018.3

ISBN 978 - 7 - 01 - 019049 - 5

Ⅰ.①在… Ⅱ.①习… Ⅲ.①习近平-讲话②周恩来(1898-1976)-生平事迹 Ⅳ.①D2-0②K827=7

中国版本图书馆 CIP 数据核字(2018)第 044213 号

(RMC - ZJDXI - 056 - 20180301)

在纪念周恩来同志诞辰 120 周年座谈会上的讲话

ZAI JINIAN ZHOU'ENLAI TONGZHI DANCHEN 120 ZHOUNIAN
ZUOTANHUI SHANG DE JIANGHUA

(2018 年 3 月 1 日)

习 近 平

人民出版社 出版发行
(100706 北京市东城区隆福寺街 99 号)

北京新华印刷有限公司印刷 新华书店经销

2018 年 3 月第 1 版 2018 年 3 月北京第 1 次印刷
开本:880 毫米×1230 毫米 1/32 印张:0.75
字数:9 千字

ISBN 978 - 7 - 01 - 019049 - 5 定价:2.20 元

邮购地址 100706 北京市东城区隆福寺街 99 号
人民东方图书销售中心 电话 (010)65250042 65289539